Ains

Max
insulte

Dominique de Saint Mars

Serge Bloch

CALLIGRAM

CHRISTIAN GALLIMARD

*Avec la collaboration
de Renaud de Saint Mars*

Série dirigée par Dominique de Saint Mars

© Calligram 2004
Tous droits réservés pour tous pays
Imprimé en Italie
ISBN : 978-2-88480-066-2

5

Allez, Jérôme, avoue, ma poule!

TOC

Ce n'est personne? Bon, vous serez TOUS punis! Vous conjuguerez «je ne fais pas de bruit quand la maîtresse explique» au présent et au futur!

Qui on pourrait embêter dans ta classe, Nicolas?

Max! C'est mon pire ennemi!

Qui m'a poussé?

Nous, on sait pas! Mais toi, avec tes grandes oreilles, tu peux capter le satellite!

Juliette a sûrement entendu!

12

Tu joues, mon petit frère?

Si tu veux, Lili.

Il est trop nul, il joue avec les filles!

Oui, si on jouait au papa et à la maman?

Et Max, tu fais le bébé? D'accord?

Ah, non, ça, pas question!

14

15

* Une balance, en argot, c'est un rapporteur !

Nous, on ne l'a pas balancé, et il s'est pas dénoncé!

Il avait peur que son père lui botte les fesses!

Aïe!!!

Nicolas et Bruno. Ils me prennent même mes copains!

Mais pourquoi t'embêtes Max?

Tu me donnes un baiser... si j'arrête?

Pffuit, tu rêves!

Cette ordure la drague!

L'HORRIBLE JOURNÉE TOUCHE À SA FIN...

Maman? Misère! L'école l'a prévenue!

Maman, pourquoi tu es là?

Je viens voir la maîtresse de Lili.

Ah!

Pipi... Vite...

Tu sais qui est l'imbécile qui a lancé ça?

Je sais pas... Je le connais pas!

ET LE SOIR...

Je vais lui en coller une!
Ah, si je lui avais dis,
au moins: «Crève,
pourriture!»

?!

Tu parles tout
seul!

J'en ai marre,
Nicolas m'a insulté
toute la journée,
avec Bruno. Tout
le monde s'est
moqué de moi!

Il est peut-être
jaloux de toi!

De quoi,
par exemple?

Oui, c'est vrai qu'il n'y a
pas de quoi!

Ah bon?

21

22

23

24

Papa, tu es fier de moi ?

Bien sûr ! Pourquoi tu me demandes ça ?

Pour rien ! T'avais déjà des grandes oreilles quand t'étais petit ?

C'est une critique ?

Sois pas susceptible ! Et... c'est vrai que les garçons grandissent plus tard que les filles ?

Oui, tu as raison, mais grand ou petit, l'important, c'est d'être bien dans sa peau !

Dors sur tes deux oreilles, et s'il recommence, viens me chercher !

J'ai de la chance d'avoir une grande sœur !

Max, tu pourrais t'excuser au moins pour la punition! C'est quand même de ta faute!

Me VENGER plutôt!

À LA RÉCRÉ DU MATIN...

Nous, sorcières, donnons des pouvoirs magiques à Max!

Ah, si j'avais des pouvoirs magiques!

29

Max, y a un petit qui pleure.

C'est Nicolas, il m'a dit, bouh, que c'était bien fait si mon grand-père était mort... Bouh !

Il faut arrêter ce massacreur !

Tu as eu raison de m'alerter, Max. C'est grave. On en parle au conseil*, d'accord ?

Il n'a pas le droit de te dire ça. Il va être puni. On va te mettre un pansement ! La blessure va vite se refermer.

* Conseil : réunion des enfants pour trouver des solutions aux problèmes de la classe.

31

C'était pour rire!

Quand l'autre n'est pas d'accord, c'est méchant! Moi, on m'a traité de sale chocolat noir*!

Moi, de grande asperge!

Moi, de *Big Mama*!

Et moi, on veut toujours que je sois le loup!

Bon, revenons à Max et Nicolas!

* Retrouve Koffi dans le livre *Max et Koffi sont copains*, qui parle du racisme.

34

On reparlera de ton frère avec tes parents, si tu veux, Nicolas. Mais ici, tu n'es pas à la maison, tu as ta place à toi. Tu n'as pas le droit de faire ça.

Moi non plus, j'avais pas le droit de les faire punir !

C'est moi qui ai fait la poule. Je voulais juste faire rire. J'ai été un peu lâche ! Alors, excusez-moi !

En tout cas, j'ai remarqué que les blessures des mots, ça mettait plus longtemps à guérir que les blessures de la peau !

Max et Nicolas, serrez-vous la main. Pour faire la paix, il faut se faire confiance. Alors, on vote contre la violence... pour trouver d'autres solutions quand on est malheureux.

Excuse-moi !

Nicolas, tu iras t'excuser auprès de Léo, au CP.

T'as été bon dans ton discours !

Merci, mais c'est celui qui le dit qui l'est !

TAP

37

Et toi...

Est-ce qu'il t'est arrivé la même histoire qu'à Max ?
Réponds aux deux questionnaires...

Se moque-t-on de ton nom? de ton physique? de tes habits de ton travail? de tes parents? Y a-t-il un peu de vrai?

Es-tu «traité» par des enfants? par tes parents? par des professeurs? Y a-t-il des mots méchants que tu ne peux pas oubl

Tu crois ce qu'on te dit? Ça te rend triste, agressif, muet T'imagines-tu en superhéros? Veux-tu changer d'école?

Est-ce plus facile pour toi d'en parler à tes copains,
à tes parents, à tes profs ou à d'autres adultes?

T'écoutent-ils? Ont-ils des solutions pour intervenir
calmement si c'est grave?

As-tu des trucs pour ne pas être une victime? Te faire
respecter? Répondre? En rire? As-tu des protecteurs?

Est-ce pour t'amuser? pour te venger d'une injustice?
pour qu'ils te répondent ou pour qu'ils se défendent?

Parce que tu te sens exclu? pas à la hauteur? triste? Tu
crois que l'on t'en veut? Ça te fait du bien?

Est-ce pour te sentir plus fort? imiter les autres?
Tu n'as pas d'autres solutions que la violence?

Insultes-tu plutôt des enfants ou des adultes? Es-tu puni?
Chez toi, est-ce qu'on se moque facilement?

Si ça les fait souffrir, te sens-tu coupable? Penses-tu
que c'est normal? qu'on t'a fait la même chose?

imerais-tu qu'on te respecte plus à la maison et à l'école?
en étant choisi comme délégué, responsable de classe?

**Après avoir réfléchi
à ces questions
sur les insultes,
tu peux en parler
avec tes parents ou tes amis.**